PAN
CANÍBAL

NOEL JARDINES

PAN
CANÍBAL

SALVAT

LETRAS DE ORO

Colección de obras premiadas en el concurso literario
«Letras de Oro»

Consejo editorial

American Express
Bernard J. Hamilton, Presidente División
 para América Latina y el Caribe
Edmundo Pérez de Cobos, Vicepresidente
 Comercial División para América Latina
 y el Caribe
Luis Zalamea, Consultor literario

Universidad de Miami
Edward T. Foote, II, Presidente
Ambler H. Moss, Jr., Rector
 Centro de Estudios Internacionales
Joaquín Roy, Coordinador académico

© Salvat Editores, S.A., Barcelona, 1987
© Noel Jardines
ISBN: 84-345-4847-X
ISBN: 84-345-4841-0 (serie completa)
Depósito legal: NA. 1488-1987
Publicado por Salvat Editores, S.A., Mallorca, 47. 08029 Barcelona
Impreso por Gráficas Estella, Estella (Navarra), 1987
Printed in Spain

Índice

II parte

pan caníbal

I
PARTE

en kansas nos pintamos los puertos

el centro

todas las estatuas en sus artes de naranjo
en los potreros pernoctan
tienden
como la única noche de un 4 de julio / a
sentarse en las sombras de las vacas

y los molinos que podrían ser
la cara baja del horizonte
y el paisaje que truena en soledad
y los montones de heno
que han dejado el sudor en las alas de los sombreros
están muertos

sobre kansas   este centro que el movimiento
no distingue
viene aplacando sus atlas
la penumbra es más penumbra
contra los grillos y las estrellas
cuando hoy
fuera de sus fronteras
se escucha el mundo acomodándose
en un rompecabezas

en kansas nos pintamos los puertos

en kansas nos pintamos los puertos
la noche sale
con su mueca de manatí
en la lengua de los terneros
resuella entre chicotes de agua

lo más fácil en la vastedad es eso
entrar por las brumosas quillas
como la araña del continente
de un desaparecido

abrazarnos a las vacas
pudorosamente compañeros
en el puerto de las caras
que nos han ido equilibrando
a pedacitos
de bruces
con un ojo que al fin pinta el espanto

wichita

wichita tan amarilla
como en noviembre
prosigue su mismo estado
de convalecencia:
la lluvia de abril
tintinea en la digestión
de sus centros abandonados

las capas y los paraguas
se han ido a mimar a los búfalos
en un desestancado arranque
al útero de la planicie

qué desgastado violín
las fibras de las alcantarillas
ay qué solitario camaleón wichita:
con su lengua de agua
salpica para dejar ver
su mejor color

los emigrantes

estaré velando
llegarán los primeros
por farmhouse road
con toda la esperanza
que puede explicar
a una familia de foto estrujada

los sombreros
las caras curtidas
los muchos
me mostrarán con sus manos
soles   sucres   colones
pesados pesos
que pudieron contra la frontera

las pujadas sonrisas
que se irán en los camiones
una
dos   tres
docenas

estaré contando
llegarán los primeros gansos
con anillos en las patas

cómo es la libertad

emigramos a kansas
aviones y trigales
soldaron de un golpe
los puntos cardinales

el confuso abrazo de mis padres
amoldó el espacio de mis cejas
un exquisito diseño la cabeza
de mi hermano

allí también podíamos gritar
pero los ecos competían con altos pinos
contra cosas más exuberantes

«cómo es la libertad»   me han preguntado
curiosos hombres   «por dónde está la mar»

siempre les repito que kansas: kansas

hay trenes que arriman al polo norte

fuimos arrimando al polo norte
le tiramos el abrigo
a la segunda forma del miedo

la conversación de los intermitentes postes
nos llenó de aire

se nos partieron en puntos indefinidos
las aves   el cielo

aún la fuerza de los codos
comprendía la fuga

llegar sería un profundo
apretón en la vejiga

nadie nos esperaba

mamá   de dónde son los cantantes

evidentemente ya no es la flauta
ni el conjunto de postales acaparadas
insolentes entre los senos de aquella soprano
ni el cuarto
tampoco los amigos suplentes

de tanto vomitar los sonidos
padece la hernia de un oboe

no hay carnegie hall que lo consuele
lugares que le parece «esto me mata»

a menudo se le amontona
la percusión en mogotes
ha perdido las faldas de las lomas
las calles se le han ido apagando
y los rostros los puja inútilmente
doremifasol   así

harlem

recuérdate de los tábanos
a patadas de mula
así recibe harlem
pululante en vida

hay amor en los desdeñosos edificios
en los orcos pasillos
de un perendengue dante:

es el náñigo mi hermano
a toda hora sin puñal
buscando a su hijo menor

la isla

irrumpe el jarro del día
abre la hamaca y a la mocha endulza
un caracol de encantos rompe
contra terral imaginarias flotillas
«duérmete mi niña» alguien susurra
bajo las tejas un océano para nubes
contrapone bongó   supura náñigo   uva caleta
se despierta en el ala de un prodigio
entre sus piernas abraca a un marinero
y sigue flotando

cañaveral

en la carreta de tu añejo
se lava la tarde blanca
cabe el filo de un machete
para abrir las inclinadas tinajas

en el sombrero
yarey y trocha
retuercen tu marea
alude en la cadera
a cada arroba
el dulce beso pardo

hay una mujer secreta

—whose hearts are mountains, roots are trees,
it's they shall cry hello to the spring

e. e. cummings

hay una mujer secreta
como doblando su vestido
ahora   allí
por donde dobló aquel

sí   un caballo tierno
nace en la hierba
y aquel quiere quitarse
el cansado abrigo
y tenderse en un gajo

hoy toda posibilidad taladra
para un desnudo boquete
el sol se quita sus chancletas
y nos grita un quintal de abril

gaviota

blanco contra blanco
puede contra vuelo
filtrarse en el espacio
de mi alma en una pluma
en las ramas un hogar
en picada todo el mundo
entre aires otro cielo
todo de pluma mi cuerpo

para e. alexander

podemos balance de gaviota
con el columpio asegurar la arena
halar por un dedo gordo
un golpe de imbuche

labrar de ola en ola
como hachos el futuro
de quien pisa acá
pulmón a pulmón
un canal de hijos hacia la mar

maguita del amago sublime

alicia entretennos
con tus pasitos y maromas
de la maravilla encarabinada
en el corazón de la reina

nosotros te hemos perdido
maguita del amago sublime
en las pocas posibilidades

«cuando uno se cae del piso no pasa»
decíamos nuestra alicia
aí cí la costumbre
te ha hecho crecer los cabellos
de los jueces del tiempo

cómo pasarnos veredicto
antes del juicio querida

mi poema diario

mi poema diario me enseña
que viene con un erizo
y me lo tira en strike cantando
dice que ha cruzado
entre el veneno
más de veinte leguas intestinales
saca la cabeza por la curva de una pala
lo mismo le da la de un pico
se bebe el sudor de la gota
en un labio de piraña   /me dice
«las pesadillas caribeñas cuelgan
su tamaño de pantera»
que me vio en la calle ayer
que prefería el alambre de mi libreta
azulito como a un oso
se le cae la corbata
las viejísimas enaguas
hasta el pimpollo de san patricio
no le queda otro remedio (me asegura)   /se ríe
todo destartalado (como un conejo sabio)
que tiene que defecar por favor
en papel de baño

156-56-2213
para adán onofre

ando con un gato
amarrado entre mis piernas
pidiéndome auxilio a cada paso
pero no se asombren
tampoco se asusten
que soy como todos ustedes
compro barras de pan
en el destierro de las bodegas
se me acumulan los días festivos
navidades en suculentas bolas
cumpleaños de hombres
que nunca he conocido
en tiendas románticamente
coloreadas sobre las cabezas
corro lleno de papeles
para conducir
para comer
para ir al baño
para asegurarme
que al cerrar la puerta
no le rompa el dedo a nadie
para perder mi nombre IBMéricamente
one five six– five six– two two one three
sumerjo mis nalgas

en las horas de un sillón
me habla elocuente
un ojo cuadrado y abarcador
bocas agradables me seducen
me asustan novedades
espaciales   químicas   bélicas
alguien se ha tirado debajo de un tren
mi hija quiere comprarse una muñeca
cada mañana después de tom and jerry
vivo bajo pie y medio de nieve
en tomorrow's weather
ropa de invierno
cinco sweaters   dos abrigos
tres pantalones corduroy marca aceptable
mi mujer me ataja por un mall interminable
no me escapo
a la salida un hombre me enseña
sus grandes dientes blancos
su sonrisa manchada de tomates
su lengua invasora
su corbata saint cara de bueno
no sé qué habla
mucho menos lo que dice
therefore tengo que votar por él

abajo los rusos   los taxes
abajo con los cabrones pinos
arriba las áreas de picnic
las playas   los bikinis
preferiblemente
la buena demodesgracia
nunca termino de leer
los artículos en las revistas
en los periódicos algo me aturde
no sé comienzo por la última página
y nunca llego a la primera
no termino de opinar de los malos tiempos
la falta de trabajo conspirando
en las huelgas de alguien que me detiene
y me da una flor por dos cincuenta
me voy de costado hacia filosos sueños
ordeno mi existencia calculadamente
cada jueves a las seis
en la cola del lotto

la paciente masa

quien me abraza
con banderas
me abraza
en muchas lenguas

estoy podrido
del modo
estoy para siempre
complicado
en esta
mazmorra de
incomprensibles
naciones

por tanto
sigo siendo
este mismo
cambio
paciente
de la
masa

los anfibios del confín

los anfibios del confín
tienen alpargatas que dan miedo
quizás por eso la luna
no miente cuando camina
a paso de gato terrible
(parece ser la boca
de un compás que acecha)

lo demás   digamos
como el resto de wichita
dentro de la garganta prorrotea
los períficos encuentros para asegurar
que se llega a casa entero

pero las persianas por última vez guiñan
que hay un modo beligerante
que busca en el buche del aire
un ámbito para todos

si estoy temblando

si estoy temblando
no es porque el sismo del centro
tiene su pezuña en mi oído
ni porque los no-me-olvides se burlan
desde una palma que me ha dejado de soñar

mis pesadillas son los perímetros que restan al mundo
el frijol que en diciembre deserta mi vida
en un chupón de luces

donde mis primas en paracaídas
se van con alicia a selvas de caramelos
donde mis primos sonámbulos bailan
por las vaginas de guaracheras güiras
y el ritmo los plaga de semillas
de un mapa de lombrices

y si tiemblo tiemblo
porque en el puerto de un diablo amigo
que se juega las bienaventuranzas
acertamos a perder la tierra prometida

II
PARTE

pan caníbal

los hambrientos
(a ojo de paloma)

nos encomendamos
a ojo de paloma
mas un murciélago
por la tarde reside
«ayazgo» nos decimos
sin verificar

el hambre
nos transforma
la lila existencia
como justicia de un tiro
(un benigno caldo
tiembla en la zarpa
de los techos)
y entre ramas
de un sueño   entre sueños
se nos plasman ojos

pan caníbal

bajo el tajo
un largo pedazo
de medio muerto ojo
un pan caníbal
para alguien resta

por una botella
su boca baja el cristal
un hijo de idiotas palmas
como un atolondrado consejo
              arriba

              arriba
              siguió
              su luna
              los jardines
              las ventanas
              las escaleras
              el fuego
              la mujer
              enrollada
              su cuchillo
              marcando
              un libro

la sopa

la vi de frente
caer   buscaba arrodillada
el cristal del gallo

la vi levantarse
empuñando culantros

la vi de frente
irse   en un globo
de venas

agosto

agosto es un caballo
infeliz
suda en la garganta
de los gallos
sin capital ni abanico

agosto sin alas
al pulso de siesta
en un sorbo de mar
le teme a los hombres

contra el pulso
de una explosiva gota
construye un techo
estrecha por las ansias
una helada ventana
un peldaño tras otro
le condena el estómago
como si algún mes
durmiera acá afuera

ME SUBE TODO ESTE ZUMO
flor como nubes al revés
antídoto de cascajo y yuca
piñuelas y bocas de reses
y mi abuela detrás
viajando en su taburete
por la vía láctea

la zorra
la mujer
la gallina

sale verdelimón la cola
arrastra de hocico
a la torcida luna
una pesadilla de cuevas
—el sabor a huevo
esas deliciosas plumas
agonizan digestión
cada vez más a diente

en el rincón del nido
donde guardan el carbón
duerme la que pone

toda la noche
es una bala de erótica apariencia:
la mujer sueña sobre el rifle
sueña que le sale verdelimón
la cola entre los senos
mientras muere la gallina

para panchito el ahogado

tiraba piedrecitas
para sacudir al mar
su voz de pato
colaba la arena
para entretener
mostaza y ola

y en su casa los platos
le rondaban como espejos
de una saturnina hada

sus ojos de palco
jamás volvieron
por vidrieras
sin aceite
tropezaron
en el fondo
con p   asardinas
    i r
     ca

ahora que no tengo equilibrio

ahora que no tengo equilibrio
las cosas me rebotan

este instante tiene luces
que le crece a los apartamentos
de aquellos que remotamente no los sueñan
de los que acurrucados
en el subsuelo de la miseria
chupan su amarga botella

ahora es el instante
que me elimina en la cuerda
cuando me quito los zapatos
y en un solo pie me pasan sentencia

de qué me vale el sermón del monte
la expansión trabajada de mis versos
la curita que intenta trancar
el flujo de mi sangre
si estos niños que han dejado de ser
los malcriados me estarán
celando la mordida del almuerzo
o estarán espiando
el momento en que se rompa
la cuerda ancha de sus barrigas

los pobres amantes

los mordiscos de los amantes
en el desliz
donde ha posado
su saliva
el pico del buitre
tienen el patíbulo
de la madrugada
quintuplicando
sin cesar
sus bocas

las caridades

las caridades que nunca se casaron
y tocaron el timbre
esperando que los hombres dejarían sus penas
descuidadamente
para atrapar aquella amorfa situación

las que jamás entendieron el seno
de una juana con arco
y rumiaron en sus salas con las agujetas
para encubrirse con estambre los remordimientos

y abrieron horripilantes sus bocas
para engullir a un niño
para dejarlo crecer en sus vientres
para nunca parirlo

el festín de las moscas

no vivir
un tanto en el festín de las moscas
es un decir que responde
al eje diminuto del hambre

uno se inclina y le roza
en la nariz el moribundo
(el que se buscaba en un tiempo frío
en el refrigerador de las conciencias)
y que ahora aparece
patentizado en los embutidos:

ese que fue un surtir acusador
y supo como un acordeón
apretar sus hombros en las latas

niño muerto junto al río

estoy seguro
que mi vida continúa
en la voz de los mangos

mi eco reciente
este amodorrido dragón
cabecea
la felicidad sensual
con que se marean
los columpios

pero junto al río
todavía hundo las piedras
me suena a masturbación
la distancia
con que he ido creciendo
con los árboles

es otra la tapia
con que salto los cielos
por donde acalambrado
las plumas de las garzas
me erizan de alegría
y a conciencia mi risa
                es bella

bellísimo
sentado solo
palpitando y palpitando
contra la primera nube
sobre los mangos

niña

a ti niña
el amor: un escaparate
de usados olores

a ti niña
el rostro te acenta
en el vientre

nancy

«mami   cuándo están las tortillas»

esta nancy podría haber trajinado
los momentos más culminantes de su vida
dentro de una gran casa blanca
y hasta fuera de lo que es
hubiera palmoteado en pascuas
frente a todo el país
un gospel negro como alegoría
al reconocimiento de la unidad racial
tal vez su esposo sería un presidente
y sus hijos un delicado compromiso

pero dejémonos de especular
que nancy no tiene aceite para las tortillas

> Aquella luz verdadera, que alumbra
> a todo hombre, venía a este mundo.
>
> San Juan 1:9

estoy tan presente
    tan enflaquecido
    el calzo del vientre
    estrella de sardina

    si tu voz se impone
    déjame la jornada
    de tu collar de huevos

señora caridad

y estamos
porque se le ha cansado
el lampadóforo brazo
a la señora caridad
porque cada mañana
en el sobresalto de enfrentar al techo
le suscribimos nuestro pan caníbal